© 2015 das ilustrações por Rosinha

Callis Editora Ltda.

Todos os direitos reservados.

1ª edição, 2020

Texto adequado às regras do novo Acordo Ortográfico da Língua Portuguesa

Coordenação editorial: Miriam Gabbai

Editora assistente: Áine Menassi

Revisão: Ricardo N. Barreiros

Digitalização: Liz França

Projeto gráfico e diagramação: Raquel Matsushita

CIP-BRASIL. CATALOGAÇÃO-NA-FONTE
SINDICATO NACIONAL DOS EDITORES DE LIVROS, RJ

R731j

Rosinha

    João e Maria : / Texto e ilustração Rosinha. - 1. ed. - São Paulo : Callis, 2020.

    48 p. : il. ; 25 cm.   (Contos de fadas)

    ISBN 978-65-5596-031-0

    1. Conto brasileiro infantojuvenil. I. Rosinha. II. Título. III. Série.

20-23994	CDD: 028.5
	CDU: 087.5

ISBN 978-65-5596-031-0

Impresso no Brasil

2020

Callis Editora Ltda.

Rua Oscar Freire, 379, 6º andar • 01426-001 • São Paulo • SP

Tel.: (11) 3068-5600 • Fax: (11) 3088-3133

www.callis.com.br • vendas@callis.com.br

João e Maria

Rosinha

conto Imagem

callis

Para Ciça Fittipaldi

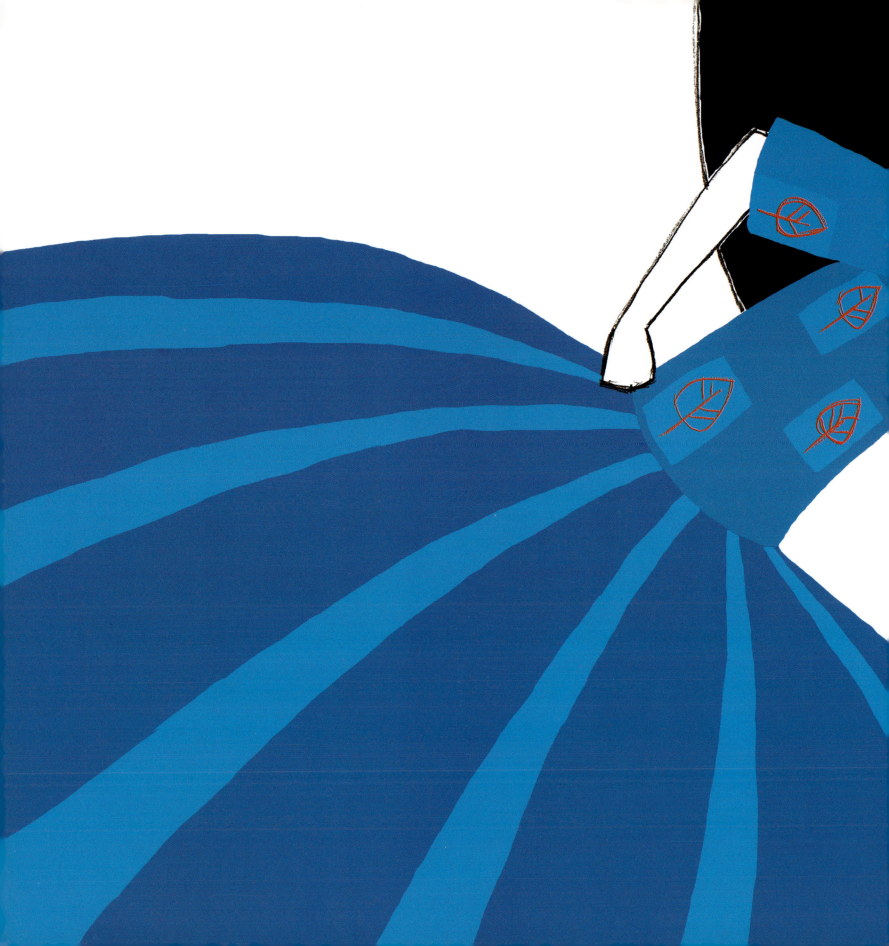

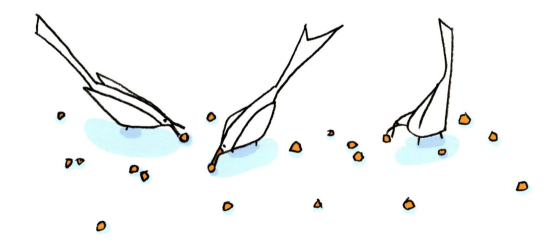

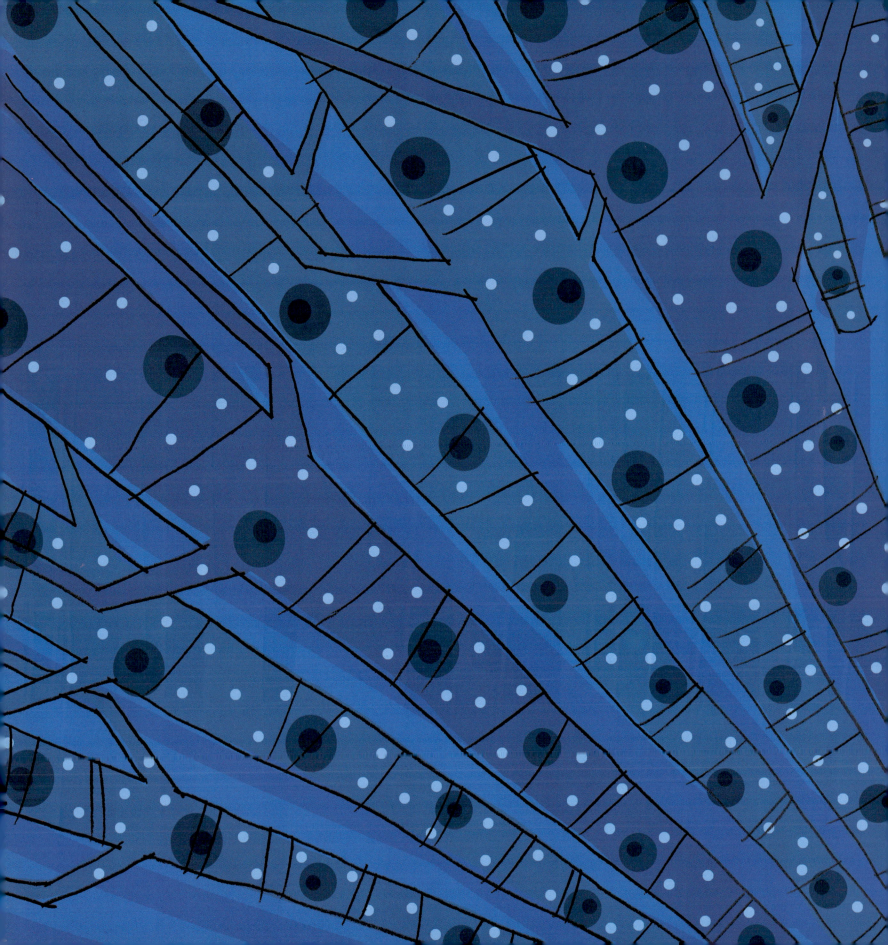

JOÃO E MARIA

Adaptação de ROSINHA do texto de WILLIAM e JACOB GRIMM

Ao lado de uma grande floresta, vivia um lenhador, sua mulher e um casal de filhos. O menino se chamava João e a menina, Maria. A fome devastava a região. Apesar de trabalhar arduamente, o lenhador, muitas vezes, não tinha nem um pedaço de pão para matar a fome da sua família. Aflito, sem saber o que fazer, desabafou com a mulher:

— Como vamos criar nossos filhos se não temos comida nem para nós dois? — lamentou o lenhador.

— Marido, amanhã bem cedo, levamos as crianças para a floresta e as deixamos lá. Elas não encontrarão o caminho de volta, e assim nos livraremos delas.

— De jeito nenhum! — protestou o lenhador. — Não podemos abandonar as crianças sozinhas na floresta, os animais ferozes irão devorá-las!

— Se não fizermos isso, vamos todos morrer de fome.

A mulher insistiu tanto que o lenhador acabou concordando.

João e Maria ouviram toda a conversa. Maria logo começou a chorar, mas João tranquilizou a irmã, dizendo que ele resolveria o problema. À noite, depois que os pais dormiram, João foi para o terreiro, onde a lua iluminava pedras brancas que brilhavam como estrelas, e encheu sua bolsa com o máximo de pedras que pôde. Depois, voltou para casa e dormiu.

No dia seguinte, assim que o sol nasceu, a mulher acordou as crianças, deu um pedaço de pão a cada uma delas e avisou que iriam à floresta cortar lenha. Enquanto caminhavam, João parava e olhava para trás. O pai perguntou ao filho o que tanto ele via. João respondeu-lhe que estava dando adeus ao seu gato, sentado no telhado da casa. O pai nem percebeu que João estava mesmo era jogando pedras ao longo do caminho.

Quando chegaram ao meio da floresta, o pai pediu às crianças que juntassem gravetos que ele faria uma fogueira para espantar o frio e as feras. Assim que a fogueira começou a queimar, a mulher disse às crianças:

— Deitem perto do fogo enquanto vamos cortar lenha. Esperem aqui. Logo voltaremos para buscá-los.

Ao meio-dia, os irmãos comeram o pão e, de tanto esperar, acabaram adormecendo. Quando acordaram, já era noite. Foi então que eles perceberam que estavam sozinhos. Maria chorou de medo, mas João disse para ela ter paciência e esperar a lua apontar no céu. Assim que a lua surgiu, as crianças deram as mãos e caminharam toda a noite seguindo a trilha de pedras que brilhavam como se fossem diamantes. Antes de o sol nascer, estavam em casa novamente. Quando o pai viu os filhos chegando, ficou feliz da vida e abraçou-os com muito carinho. Ele estava arrependido por tê-los abandonado na floresta. Já a mulher, esta ficou furiosa!

Mas não demorou muito para que a fome se alastrasse novamente por todo o país. A cada dia que passava, o lenhador trabalhava com mais afinco, sem, contudo, conseguir colocar comida na mesa da família. Logo a mulher voltou a atormentá-lo com a ideia de abandonar as crianças na floresta. Ela tanto fez que o marido cedeu mais uma vez. João, que ouvira toda a conversa, tentou sair de casa para buscar pedras, mas dessa vez a mulher havia trancado a porta.

No dia seguinte, as crianças receberam dois pedaços bem pequenos de pão e foram levadas à floresta. João foi soltando migalhas do seu pão para marcar o caminho de volta. O menino a todo instante olhava para trás e o pai perguntou-lhe novamente o que estava fazendo. João respondeu que estava dando adeus para uma pomba, pousada na árvore, mas estava mesmo era marcando o caminho com migalhas. Caminharam horas a fio, adentrando ainda mais na floresta. Finalmente, chegaram a uma clareira, onde o lenhador fez uma fogueira. E novamente o casal foi embora, prometendo voltar para buscar os filhos.

Como da primeira vez, as crianças esperaram por um longo tempo, dividiram o pedaço de pão que restava e dormiram. A noite chegou, mas os pais não. João garantiu à irmã que, assim que a lua saísse, sua luz mostraria o caminho de migalhas. Mas, quando a lua subiu ao céu, eles perceberam que os pássaros que viviam na floresta haviam comido todo o pão.

Começaram a andar por entre árvores que pareciam tocar as estrelas e, sem o fio iluminado que os levaria de volta para casa, cada vez mais se perdiam na floresta. A terceira noite estava começando a surgir quando avistaram um pássaro branco em cima de uma árvore. Estavam tão cansados e famintos que pararam para ouvir o seu canto. Depois de entoar um melodioso concerto, o pássaro levantou voo e João e Maria o seguiram, até que chegaram a uma pequena casa. Logo que viram que as paredes eram feitas de pão, o telhado de bolo e as janelas de biscoito, João e Maria correram para devorar a casa. Quando Maria estava tirando um taco da janela, uma voz de dentro de casa perguntou:

— Ora, ora, ora, quem a minha casa devora?
— É só o vento soprando no seu terreiro — respondeu Maria.

Os irmãos continuaram comendo sem se importar. De dentro da casa, saiu, sorrateira, uma velha muito feia. As crianças tomaram o maior susto!

— Quem são vocês? Por que estão comendo a minha casa?
— Desculpe-me, senhora. Nós nos perdemos na floresta e estamos com muita fome.
— Então, entrem. Vou servir o jantar. Convidou a velha dissimulada.

A velha serviu pão e sopa e colocou-os para dormir em uma cama limpa e cheirosa. Felizes, João e Maria acreditavam estar salvos. Mas a velha era uma bruxa medonha, que adorava comer crianças. Tão logo o dia amanheceu, ela prendeu João em uma gaiola e fez Maria trabalhar como uma escrava.

— Cozinhe um banquete para o seu irmão! — ordenou a mulher. — Quando ele estiver bem gordo, vou devorá-lo.

Todos os dias, a bruxa pedia a João que mostrasse o dedo, para ver se ele estava mais gordo. Mas, em vez do dedo, João mostrava um osso de galinha. A bruxa era um pouco cega, por isso, não entendia por que João não engordava. Depois de várias semanas, a bruxa, que não se aguentava mais de vontade de devorar uma criancinha, resolveu comer João magrinho mesmo.

— Coloque água no caldeirão e mais lenha no forno. Depois olhe lá dentro para ver se o fogo já está no ponto de assar o pão — ordenou a velha bruxa.

Na verdade, a bruxa queria empurrar Maria no forno para assá-la também. Mas a menina, que era muito esperta, desconfiou e disse:

— Eu não sei como colocar lenha no forno, nem sei ver se o fogo está no ponto, mostre-me como se faz.

A bruxa, impaciente, jogou mais lenha e colocou a cabeça no forno para ver se o fogo estava no ponto. Rapidamente, Maria empurrou a velha para dentro do fogo e fechou o trinco da fornalha. A bruxa deu uns grunhidos assustadores e morreu.

Maria abriu a porta da gaiola, João pulou para fora e os dois se abraçaram felizes. A casa da bruxa estava repleta de moedas de ouro, pratarias e pedras preciosas. Eles recolheram tudo o que conseguiram e se puseram no caminho de volta. Andaram três dias e conseguiram, finalmente, chegar em casa.

A mulher tinha morrido de uma doença misteriosa. O pai não se aguentava em pé de tanta saudade dos filhos. Mas, quando os viu chegando, a felicidade voltou ao seu coração e ele saiu correndo ao encontro de João e Maria. Eles se abraçaram, se beijaram e viveram felizes pelo resto de suas vidas.

Rosinha

Quando eu era criança, ganhei da minha mãe o presente mais importante da minha vida: uma vitrola e, a cada semana, ganhava um vinil colorido da "Coleção disquinho" com um conto de fada. Eram 25 discos compactos que diariamente encantavam as minhas tardes e embalavam meus sonhos. Depois cresci, me tornei arquiteta, tive três filhos e me apaixonei por literatura para crianças e jovens. Troquei a arquitetura pela ilustração, hoje também escrevo e sou feliz para sempre. Vem daí meu desejo de criar uma coleção de contos de fadas. Um desejo que há muito tempo me acalanta e desafia. Agora meu desejo é que as imagens de *João e Maria* encantem você e povoem os seus sonhos.